Meet big **S** and little **s**.

Trace each letter with your finger and say its name.

S is for

seal

S is also for

sun

sax

sailboat

sandwich

Ss Story

This **s**eal is **s**o **s**uper!

See him **s**oar by the **s**un...

and dive into the **s**ea
to **s**ay hello to a fish!

5

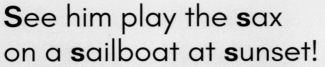

See him play the **s**ax
on a **s**ailboat at **s**unset!

6

See him **s**ave a **s**eagull's **s**andwich from the **s**urf.

This **s**eal is **s**o **s**uper!